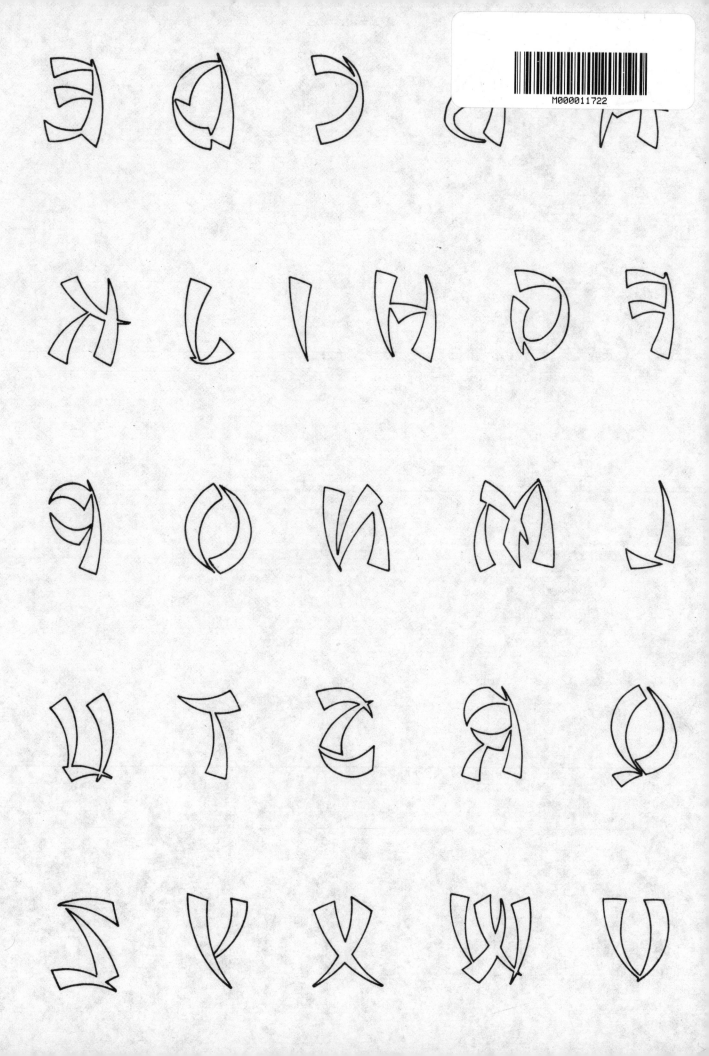

TEST PATTERN:

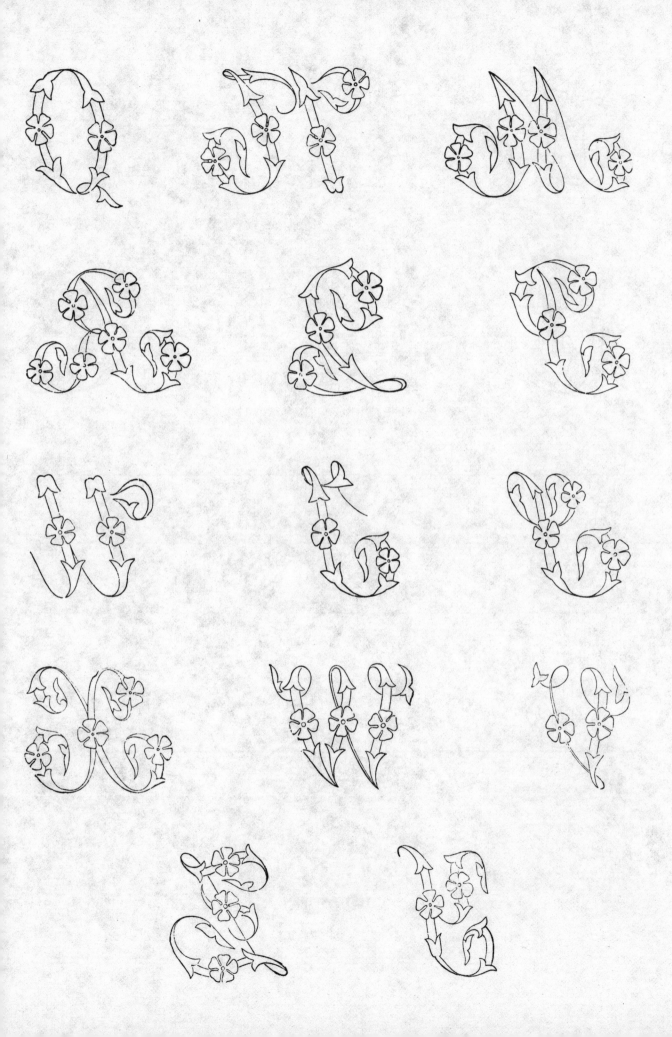

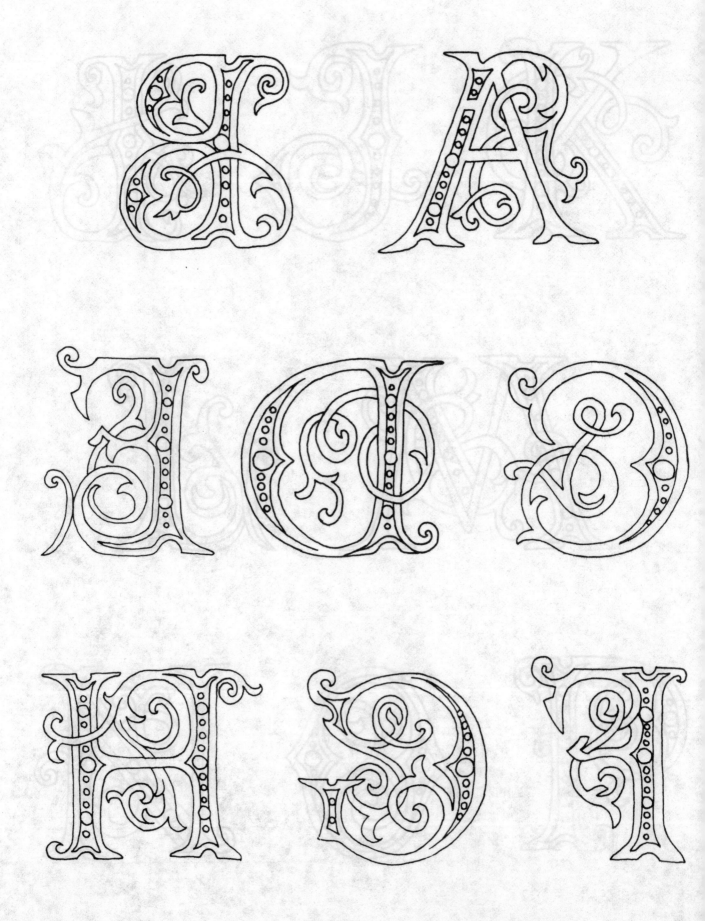

P O N

T S R Q

W V U

Z Y X

N O P

Q R S T

U V W

X Y Z

A B C D E

F G H I J

K L M N

O P Q R

S T U V

W X Y Z

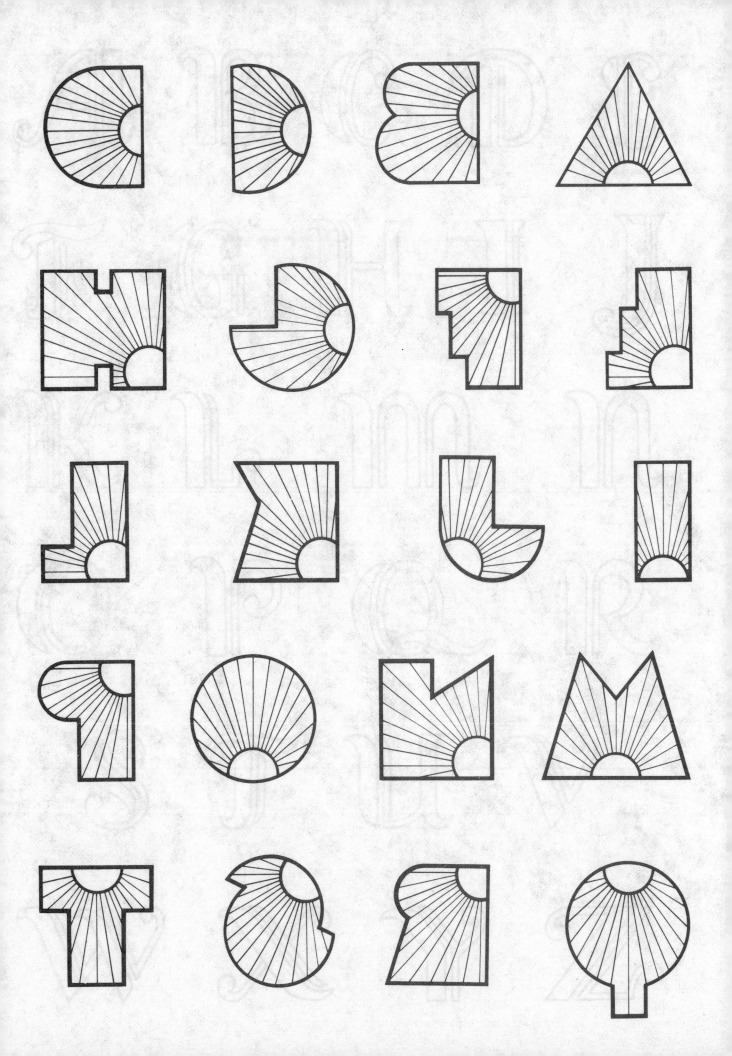

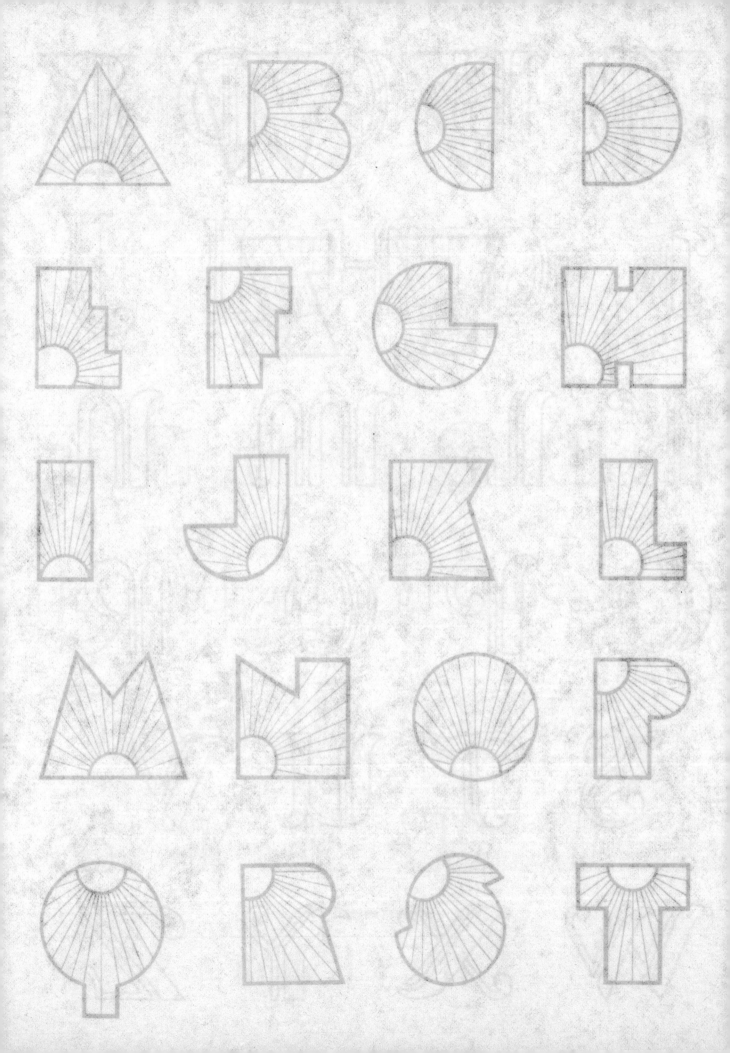

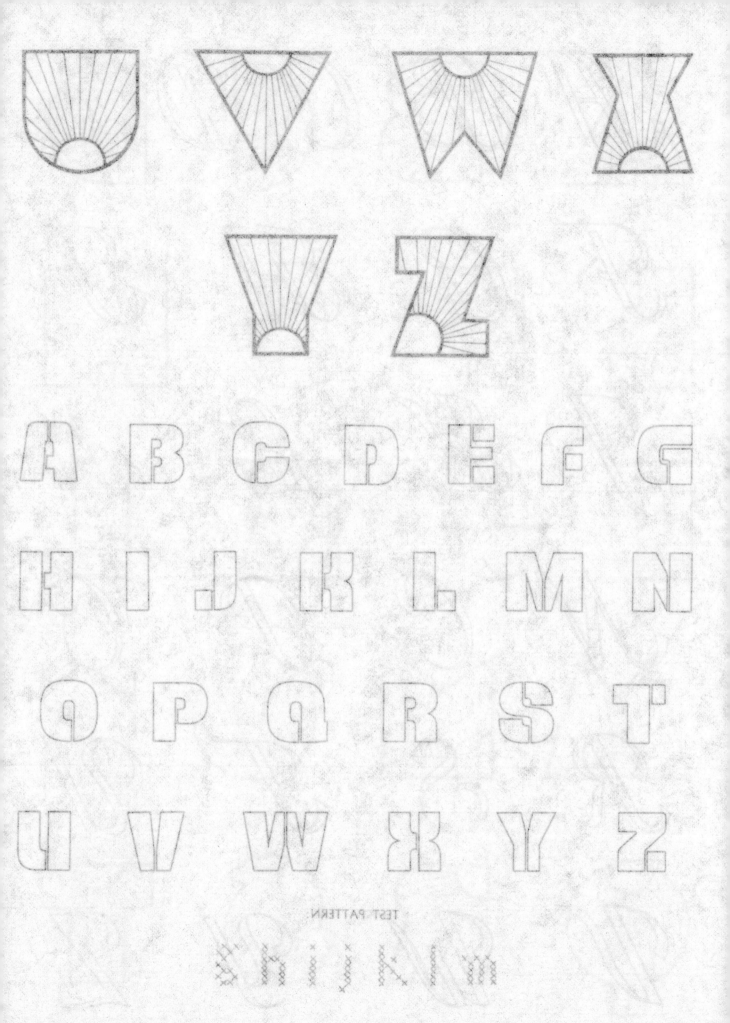

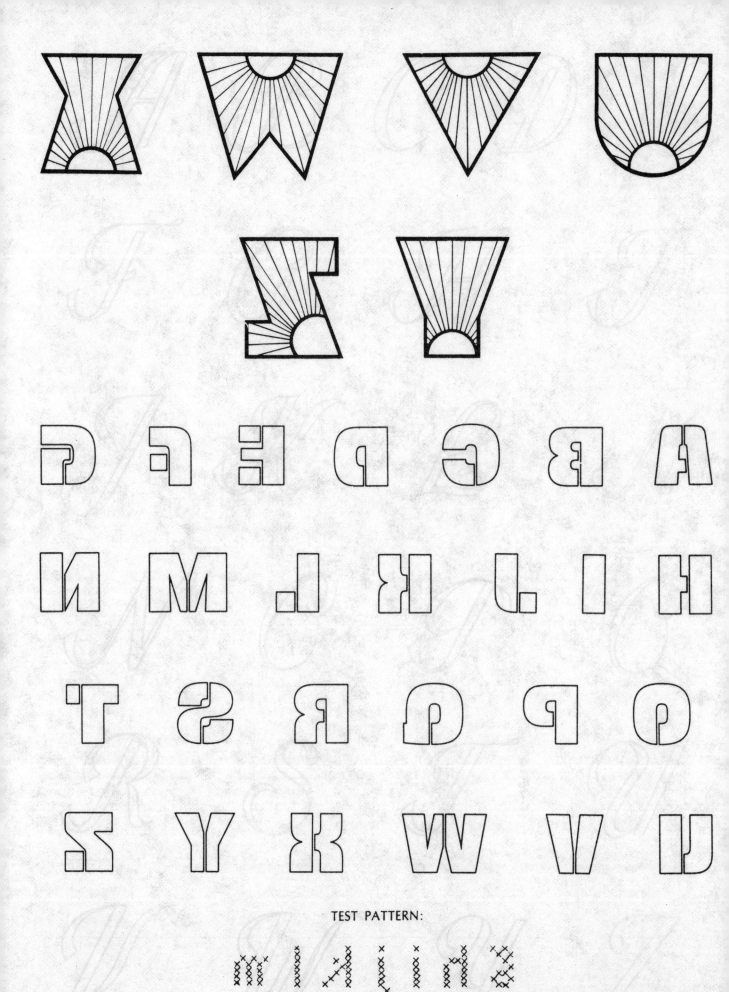

TEST PATTERN:

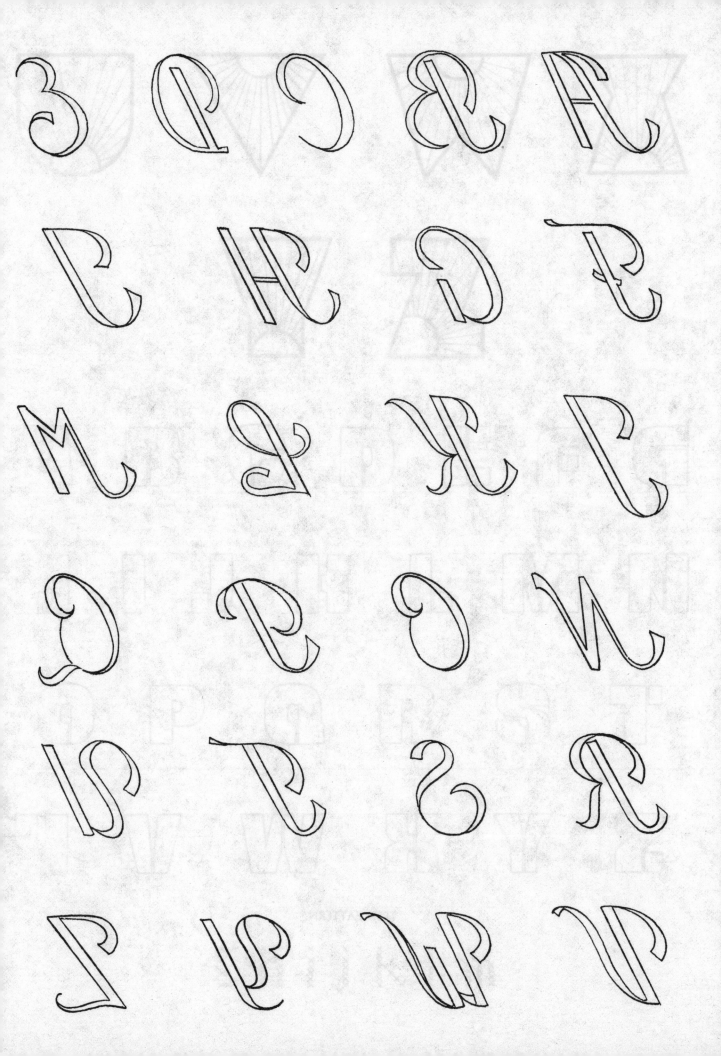

A B C D E

F G H I

J K L M

N O P Q

R S T U

V W Y Z

TEST PATTERN:

U V W X
Y Z
A B C D E F
G H I J K L
M N O P Q
R S T U V
W X Y Z

# A B C
# D E F
# G H I J

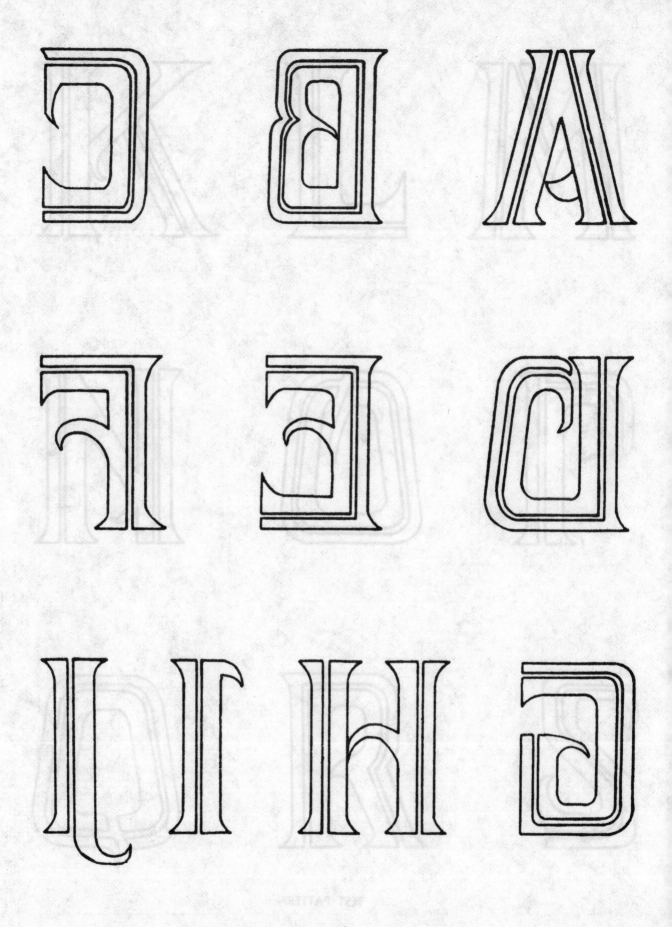

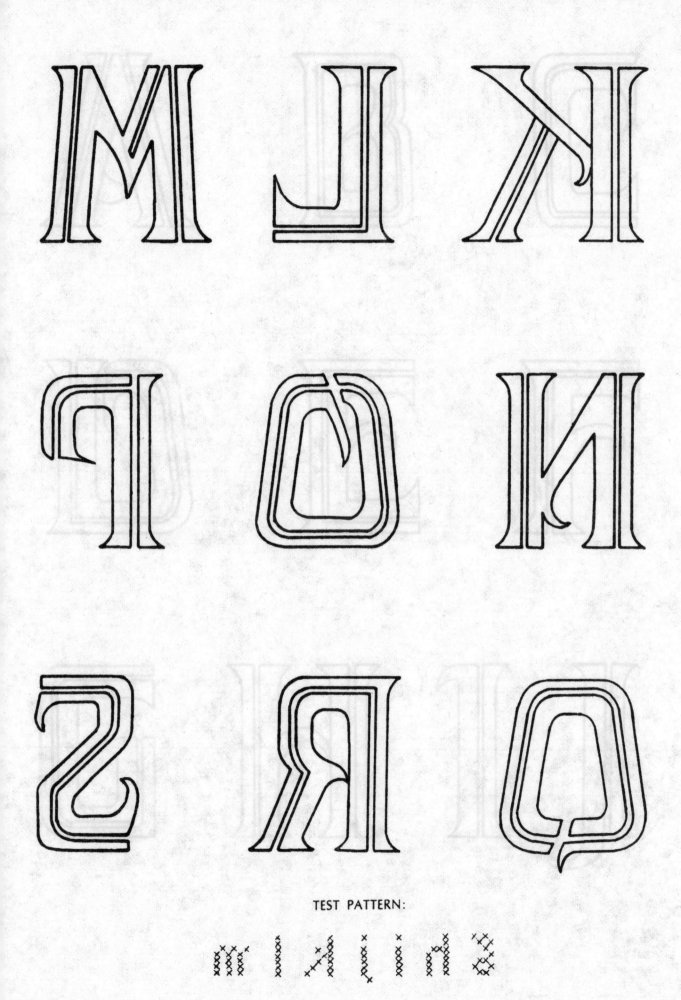

TEST PATTERN:

K L M

N O P

Q R S

shiikim

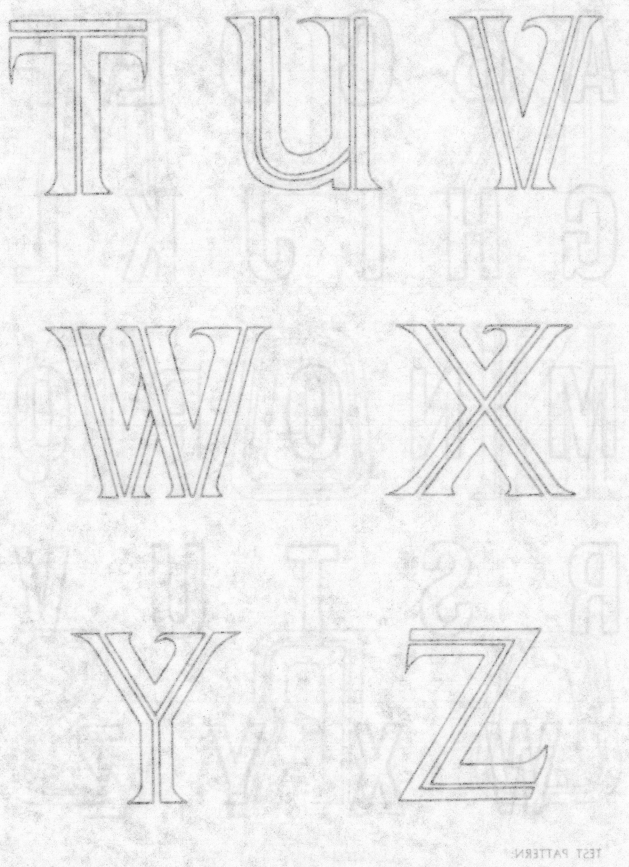

T U V
W X
Y Z

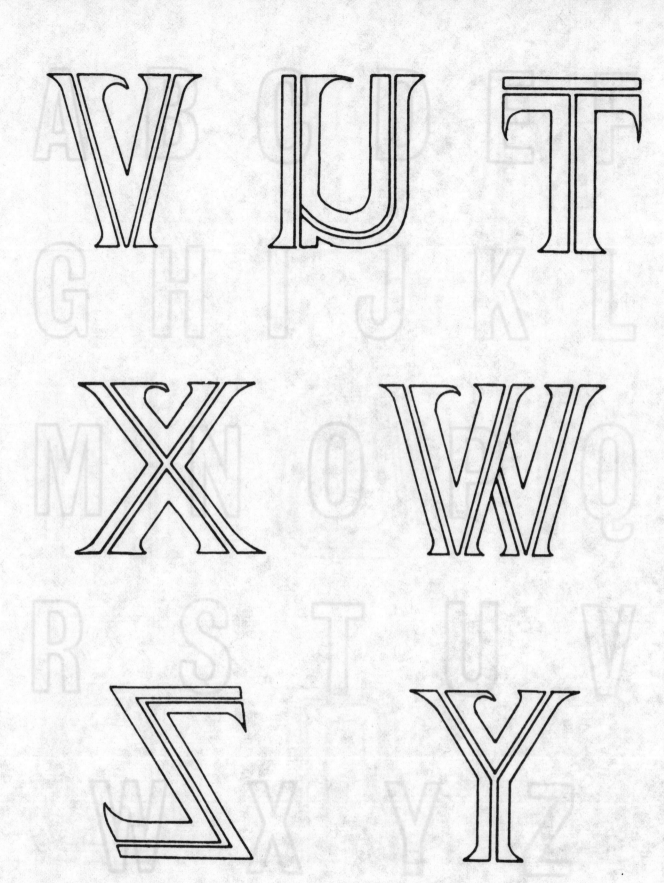

TEST PATTERN:

A B C D E F

G H I J K L

M N O P Q

R S T U V

W X Y Z

TEST PATTERN:

O P Q R

S T U

V W

X Y Z

A B C D E

F G H I J

K L M N

O P Q R S

T U V W

X Y Z

A B C D E

F G H I J

K L M N

O P Q R S

T U V W

X Y Z

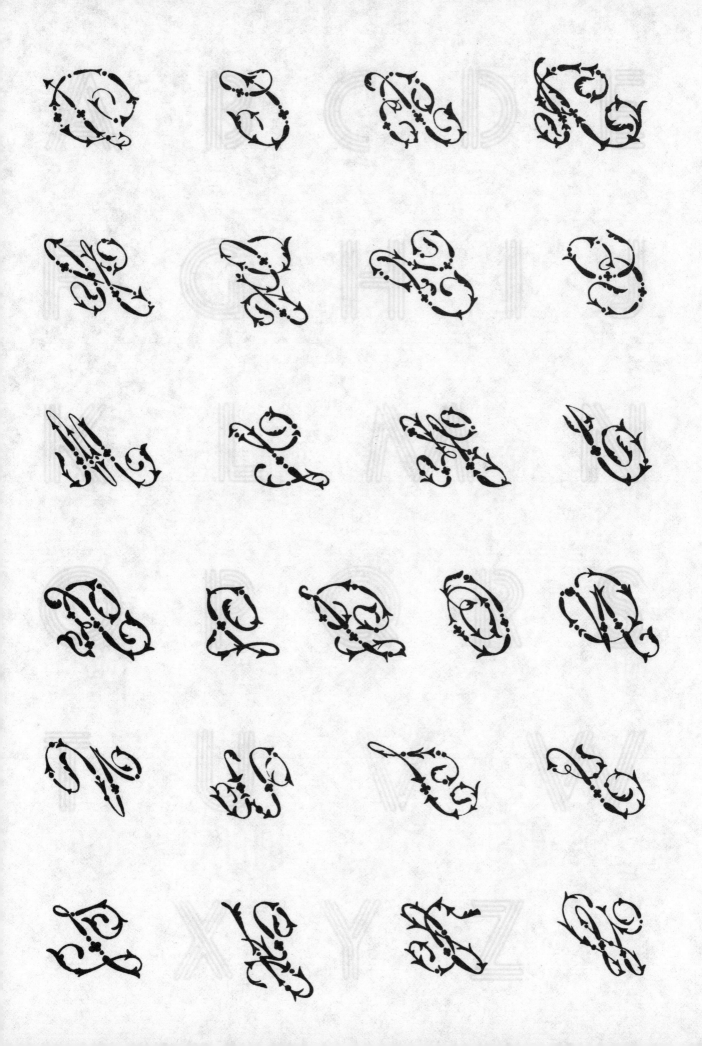